P9-BJV-204

Cette collection de lectures facilitées est d'approche facile grâce à l'utilisation d'un vocabulaire d'environ 600 mots. Elle est indiquée aux étudiants âgés de 12 à 16 ans qui ont étudié la langue française au moins pendant deux ans.

Ces lectures sont très utiles en tant que support matériel pour les professeurs de français, pour stimuler les élèves à une lecture active: sur les pages de gauche une histoire complétée par des notes explicatives en français est proposée, et sur les pages de droite il y a des exercices qui font exclusivement référence au texte même. De cette façon l'étudiant est obligé non seulement d'accomplir une étude approfondie de ce qu'il a lu, mais aussi de s'appliquer à l'étude du vocabulaire, aux temps verbaux, à la syntaxe, etc., et à les réutiliser, en mettant aussi bien en état l'enseignant (et en se mettant lui-même en état) de vérifier le degré de compréhension.

De là, le nom "Livre d'activité" car tout est écrit sur la page, des feuilles ajoutées et des cahiers ne sont pas nécessaires. Il n'est pas nécessaire non plus de feuilleter le livret: tout ce qui sert à l'étudiant se trouve sous ses yeux. Certains exercices servent à résumer la connaissance de la langue française, d'autres sont plus amusants. À la fin de la lecture l'étudiant connaîtra l'histoire et sera même en mesure de la raconter !

text, exercices et notes
Francine Martini

Tous les droits sont réservés. Aucune partie de ce
livre ne doit être reproduite, archivée ou transmise,
sous n'importe quelle forme que se soit ni avec
n'importe quel moyen – électronique, mécanique,
enregistré, par photocopies ou autres – sans
l'autorisation préalable du propriétaire du
copyright.

Cyrano de Bergerac

Edmond Rostand

Edmond Rostand est né à Marseille en 1868. C'est un écrivain français qui débuta par un volume de vers, "les Musardises" (1890) et employa ensuite sa virtuosité à la création de pièces en vers comme "la Princesse lointaine" (1895), la comédie héroïque "Cyrano de Bergerac" (1897) qui lui valut un triomphe, et "l'Aiglon" (1900). Rostand a offert au public français le "panache" dont celui-ci avait besoin. Après une interruption, il donna en 1910 "Chantecler".

Il entra à l'Académie française en 1901.

Il meurt à Paris en 1918.

CYRANO DE BERGERAC

La première scène se passe à l'Hôtel de Bourgogne, un des plus anciens théâtres de Paris – qui deviendra par la suite la "Comédie Française" – et nous ramène en 1640, à l'époque de Louis XIII.

A l'Hôtel de Bourgogne

LE PUBLIC, qui arrive peu à peu. CAVALIERS, BOURGEOIS, LAQUAIS, PAGES, TIRE-LAINE[1], LE PORTIER, etc ... , puis LES MARQUIS, CUIGY, BRIS-SAILLE, LA DISTRIBUTRICE, LES VIOLONS, etc ...

On entend derrière la porte un tumulte de voix, puis un cavalier entre brusquement.

Le portier, le poursuivant: Holà! vos quinze sols[2]!
Le cavalier: J'entre gratis!
Le portier: Pourquoi?
Le cavalier: Je suis chevau-léger[3] de la maison du Roi!
Le portier, à un autre cavalier qui vient d'entrer: Vous?
Deuxième cavalier: Je ne paye pas!
Le portier: Mais ...
Deuxième cavalier: Je suis mousquetaire[4].
Premier cavalier, au deuxième: On ne commence qu'à
                           [deux heures. Le parterre est vide.
    Exerçons-nous au fleuret[5].

Ils font des armes avec des fleurets qu'ils ont apportés.

1. **Tire-laine**: *à cette époque, c'était un homme qui volait les manteaux la nuit.*
2. **sols**: *ancienne façon du mot français "sou".*
3. **chevau-léger**: *soldat d'un corps de cavalerie (du XVIème au XIXème s.).*
4. **mousquetaire**: *au XVIIème s., c'était un gentilhomme qui appartenait à l'une des deux compagnies à cheval, l'une à la garde du roi et l'autre à celle de Richelieu, puis de Mazarin.*
5. **fleuret**: *épée fine et très légère qui sert à l'escrime.*

1. Compréhension du texte:

a) Quelle est l'impression que donne cette première scène?

....

b) Où se déroule-t-elle?

....

c) Comment s'appelle actuellement ce théâtre?

....

d) Qu'est-ce que le parterre?

....

e) Pourquoi les cavaliers font-ils des armes?

....

f) Que veut dire: "faire des armes"?

....

2. Je donne un synonyme pour chaque sens du mot "hôtel" et je fais une phrase:

Hôtel: maison meublée où on loge et où l'on trouve toutes les
    commodités du service.

Synonyme: ....

Phrase: ....

....

Hôtel: demeure citadine d'un grand seigneur.

Synonyme: ....

Phrase: ....

....

Hôtel de ville: grand édifice destiné à un établissement public.

Synonyme: ....

Phrase: ....

....

Hôtel-dieu: se dit de l'hôpital principal de certaines villes.

Synonyme: ....

Phrase: ....

....

Un premier laquais montre des jeux qu'il sort de son
                                        [pourpoint[1]: Cartes. Dés.

Il s'assied par terre: Jouons.
Le deuxième, même jeu: Oui, mon coquin.
Premier laquais, tirant de sa poche un bout de chandelle
qu'il allume et colle par terre:

        J'ai soustrait à mon maître un peu de luminaire[2]...
Un bourgeois, conduisant son fils: Plaçons-nous là, mon fils...
Un homme, tirant une bouteille de sous son manteau et
s'asseyant aussi.
Un ivrogne[3]. Doit boire son bourgogne ...Il boit: A l'hôtel
                                        *[de Bourgogne!

Le bourgeois, à son fils: Ne se croirait-on pas en quelque
                                        *[mauvais lieu?...
        Et penser que c'est dans une salle pareille
        qu'on joua du Rotrou[4], mon fils!
Le jeune homme: Et du Corneille!

L'allumeur[5] est entré. Certains ont pris place aux galeries.
Christian de Neuvillette entre, paraît préoccupé et regarde
les loges.

LE COUP DE FOUDRE
ENTRE CHRISTIAN ET ROXANE

Dans cette scène les personnages principaux sont introduits
ou annoncés.
Christian doit entrer aux gardes le jour suivant, dans les
Cadets[6]. Il n'est à Paris que depuis vingt jours.

1. **pourpoint**: *partie du vêtement d'homme qui couvrait le torse*
   jusqu'au dessous de la ceinture.
2. **luminaire**: *lumière, appareil d'éclairage.*
3. **ivrogne**: *pers. qui a l'habitude de s'enivrer.*
4. **Rotrou**: *auteur dramatique remarqué par Richelieu.*
5. **L'allumeur**: *pers. dont le métier est de s'occuper de l'éclairage*
   public.
6. **Cadets**: *gentilhomme qui sert comme soldat et après comme*
   bas officier pour apprendre le métier.

6

3. Compréhension du texte:

a) Pourquoi les personnes qui arrivent ont-elles le droit de s'asseoir par terre?

....

b) Qu'est-ce que le bourgogne?

....

c) Par quel genre de personnes cet hôtel est-il fréquenté?

....

....

d) Qu'est-ce qu'un "mauvais lieu"?

....

....

e) Pourquoi le jeune homme ajoute-t-il: "Et du Corneille! "?

....

....

f) Pourquoi les personnages principaux sont-ils introduits ou annoncés?

....

....

4. Je mets la phrase suivante aux temps indiqués ci-dessous: *"Un laquais s'assied par terre"*.

a) imparfait:

....

b) futur simple:

....

c) passé composé:

....

d) plus-que-parfait:

....

e) conditionnel présent:

....

f) subjonctif présent:

....

Cyrano de Bergerac veut empêcher l'acteur Montfleury de jouer car selon lui il n'a aucun talent. Mais qui est Cyrano? Cyrano est cadet aux gardes, il est suffisamment noble et versé dans les colichemardes[1].

Roxane paraît dans sa loge, tout le monde la regarde, elle est ravissante. Peu après Christian aussi lève sa tête, l'aperçoit et demande à son ami Lignière si c'est bien elle.

Lignière, dégustant son rivesaltes[2] à petits coups lui répond:
[Magdeleine Robin, dite Roxane.
Fine, précieuse[3], libre, orpheline, cousine de Cyrano.

Au même moment le Comte de Guiche, seigneur très élégant, entre dans la loge et parle avec Roxane. Il est épris[4] de Roxane mais il est marié à la nièce de Richelieu. Christian la regarde et reste en contemplation.

Tous les spectateurs attendent le début de la pièce où l'acteur Montfleury doit jouer mais Cyrano s'y oppose.

L'ESPOIR ET LA DÉLUSION DE CYRANO

Roxane a demandé à rencontrer Cyrano. Il est plein d'espoir et a le cœur battant quand il arrive au rendez-vous fixé par celle qu'il aime. Cette scène se passe dans la boutique de Ragueneau, l'ami de Cyrano et des cadets qui est pâtissier-poète.

Roxane: Puis ... je voulais ... Mais pour l'aveu[5] que je viens
[faire,
il faut que je revoie en vous le ... presque frère,

---

1. **colichemardes**: *style précieux, qui veut dire que Cyrano aime se battre à l'épée.*
2. **rivesaltes**: *vin liquoreux.*
3. **précieuse**: *qui a les caractéristiques de la préciosité du XVIIème s. ; raffinement des manières, des sentiments ayant un langage très recherché.*
4. **Il est épris de**: *il est amoureux de.*
5. **l'aveu**: *la confession, déclaration.*

5. Compréhension du texte:

a) Qui est l'acteur Montfleury?

....

b) Qui est Cyrano?

....

c) Qui est Christian?

....

d) Qui est le Comte de Guiche? Avec qui est-il marié?

....

....

e) Qui est Ragueneau?

....

f) Que veut dire: "il faut que je revoie en vous le... presque frère".

....

6. Je complète les phrases suivantes avec "tout":

a) Tu as écouté Cyrano... la journée.

....

b) A-t-il lu... les poèmes de Ragueneau?

....

c) ... le monde est arrivé à l'Hôtel de Bourgogne.

....

d) Cyrano utilise... les colichemardes possibles.

....

e) Lignière boit... son rivesaltes à petits coups.

....

f) ... cette scène se passe dans la boutique de Ragueneau.

....

....

avec qui je jouais, dans le parc – près du lac!...
C'était le temps des jeux ...
Le temps où vous faisiez tout ce que je voulais!...
Parfois, la main en sang de quelque grimpement[1],
vous accouriez! – Alors, jouant à la maman,
je disais d'une voix qui tâchait d'être dure[2]:
(elle lui prend la main)
"Qu'est-ce que c'est encor que cette égratignure[3]?"
(elle s'arrête, stupéfaite).
Oh! C'est trop fort! Et celle-ci!
(Cyrano veut retirer sa main.)
Non! Montrez-la! Où t'es-tu fait cela?
Cyrano: En jouant, du côté de la porte de Nesle.
*Roxane, s'assied à une table et trempe son mouchoir dans
[un verre d'eau:* Donnez! ...
Et dites-moi, – pendant que j'ôte[4] un peu le sang –
Ils étaient contre vous...? Racontez!
Cyrano: Non. Laissez. Mais vous, dites la chose
que vous n'osiez tantôt[5] me dire...
Roxane: A présent, j'ose,
car le passé m'encouragea de son parfum!
Oui, j'ose, maintenant. Voilà. J'aime quelqu'un.
Cyrano: Ah!...
Roxane: Qui ne le sait pas d'ailleurs.
Cyrano: Ah!...
Roxane: Pas encore.
Cyrano: Ah!...
Roxane: Mais qui va bientôt le savoir, s'il l'ignore[6].

---

1. grimpement: *montée en s'aidant des mains et des pieds.*
2. tâchait d'être dure: *était plutôt sévère.*
3. cette égratignure: *blessure superficielle et sans gravité.*
4. j'ôte: *j'enlève.*
5. tantôt: *avant.*
6. s'il l'ignore: *s'il ne le sait pas encore.*

7. **Compréhension du texte:**

a) Roxane a demandé à rencontrer Cyrano. Qu'espère-t-il? Que veut-elle?

....

....

b) Comment se traduit l'émotion de Cyrano dans ce dialogue?

....

....

c) Pourquoi dit-il qu'il a fait cette égratignure en jouant du côté de la porte de Nesle?

....

....

d) A partir de quel moment Roxane a-t-elle le courage de dire ce qu'elle veut?

....

e) Comment pourrait-on dire autrement: "mais qui va bientôt le savoir".

....

8. **Je forme des phrases et je fais attention aux deux verbes "tâcher" et "tacher":**

a) tâcher de: faire des efforts, faire ce qu'il faut pour.

....

b) tâcher que: faire en sorte que.

....

c) tacher: salir en faisant une ou des taches.

....

d) se tacher: faire des taches sur soi, sur ses vêtements.

....

e) se tacher: recevoir des taches, se salir.

....

f) se tacher: se couvrir de taches.

....

Cyrano: Ah!...

Roxane: Un pauvre garçon qui jusqu'ici m'aima
      timidement[1], de loin, sans oser le dire ...

Cyrano: Ah!...

Roxane: Laissez-moi votre main, voyons, elle a la fièvre. –
      Mais moi, j'ai vu trembler les aveux sur sa lèvre.

Cyrano: Ah!...

Roxane, achève de lui faire un bandage[2] avec son mouchoir:
          [Et figurez-vous, tenez, que, justement,
    oui, mon cousin, il sert dans votre régiment!

Cyrano: Ah!...

Roxane, riant: Puisqu'il est cadet dans votre compagnie!

Cyrano: Ah!...

Roxane: Il a sur son front de l'esprit, du génie.
    Il est fier, noble, jeune, intrépide, beau ...

Cyrano, se lève et devient tout pâle[3]: Beau!

Roxane: Quoi? Qu'avez-vous?

Cyrano: Moi, rien ... C'est ... c'est *(il montre sa main)*
          [C'est ce bobo[4].

Elle lui dit qu'il s'agit de Christian de Neuvillette, qu'il est entré en tant que cadet aux gardes depuis ce matin. Elle voudrait tant que Cyrano devienne l'ami de Christian et qu'il le protège puis Roxane s'en va et Cyrano reste immobile.

CYRANO ET LES CADETS

Cyrano est avec ses amis les Cadets et Le Bret. Il commence à faire le récit[5] de son combat quand Christian, le nouveau

---

1. timidement: *qui manque d'audace, de vigueur.*

2. un bandage: *bandes de tissu appliquées sur une partie du corps pour un pansement.*

3. pâle: *blême, très peu coloré.*

4. ce bobo: *petite plaie insignifiante. Dans le langage des enfants, c'est une douleur physique.*

5. le récit: *la narration.*

9. Compréhension du texte:

a) Pourquoi est-ce que Roxane dit: "j'ai vu trembler les aveux sur sa lèvre".

....

....

b) De qui s'agit-il?

....

c) Quel est le mot que Roxane prononce qui dissipe l'illusion de Cyrano?

....

d) Quelle est la réaction de Cyrano?

....

e) Que demande-t-elle à Cyrano avant de partir?

....

f) Selon toi, s'est-elle aperçue de l'émotion de Cyrano? Pourquoi?

....

....

10. Je fais une phrase pour chaque adjectif et une phrase pour l'adverbe correspondant:

ex.: ce garçon (timide) m'aima (timide) =

ce garçon timide m'aima timidement.

a) *(fier)* - adjectif:...

    - adverbe: ....

b) *(poli)* - adjectif: ....

    - adverbe: ....

c) *(noble)* - adjectif:..

    - adverbe: ....

d) *(jeune)* - adjectif:..

e) *(intrépide)* - adjectif:..

    - adverbe: ....

f) *(beau)* - adjectif:...

venu, se moque de lui en faisant des jeux de mots sur son terrible nez. Les amis de Cyrano craignent qu'il se mette en colère et, en effet, Cyrano leur demande de s'éloigner[1] car il veut rester seul avec Christian.

Mais Cyrano ne se fâche pas et dit à Christian qu'il est le cousin fraternel de Roxane, et que ce soir elle attend une lettre de lui. Christian se désespère car il ne sait pas écrire en forme précieuse et dit qu'il est sûr qu'il la perdra. Cyrano lui propose de lui prêter de l'éloquence[2] et à eux deux ils réussiront à faire un héros de roman.

LA SCÈNE DU BALCON

Christian refuse l'aide que Cyrano lui propose: "Je vais parler moi-même", Cyrano le laisse seul. Roxane lui demande "Parlez-moi d'amour" mais Christian ne fait que lui répéter des "Je t'aime", elle est insatisfaite et lui dit de "broder"[3] autour de ce thème. Christian ne sait pas "broder" et Roxane lui dit "Adieu". Cyrano arrive et sauve la situation en soufflant[4] à Christian, grâce à l'obscurité, tous les mots qu'il dira à Roxane. Cette scène se passe dans le quartier du Marais, sur une petite place.

Au début Cyrano est caché sous le balcon.

Roxane qui entrouvre sa fenêtre: Qui donc m'appelle?
Christian: Moi.
Roxane: Qui, moi?
Christian: Christian.
Roxane, avec dédain[5]: C'est vous?

---

1. s'éloigner*: s'en aller, partir.*
2. l'éloquence*: don de la parole, facilité pour bien s'exprimer.*
3. "broder"*: amplifier, exagérer à plaisir.*
4. en soufflant*: en disant discrètement qqch. à qqn.*
5. avec dédain*: avec arrogance, mépris.*

11. Compréhension du texte:

a) Pourquoi Christian se moque-t-il de Cyrano?

....

....

b) S'est-il réellement qui est Cyrano?

....

c) Pourquoi les Cadets craignent-ils que Cyrano se mette en colère?

....

....

d) Pourquoi Cyrano ne se fâche-t-il pas?

....

....

e) Pour quelle raison Christian se désespère-t-il?

....

....

f) Que lui propose Cyrano?

....

12. A propos du verbe "broder". Je fais une phrase pour chaque signification.

a) broder = orner un tissu de broderies:

....

b) broder = exécuter en broderie:

....

c) broder = amplifier ou exagérer à plaisir:

....

d) un brodeur/une brodeuse = ouvrier, ouvrière en broderie.

....

e) une brodeuse = une machine à broder.

....

f) une broderie = art d'exécuter un ou des motifs dessinés sur un tissu ou un canevas.

....

Christian: Je voudrais vous parler.

Cyrano, à Christian, sous le balcon: Bien. Bien presque à
[voix basse.

Roxane: Non! Vous parlez trop mal! Allez-vous-en!

Christian: De grâce!...

Roxane: Non! Vous ne m'aimez plus!

Christian, ses mots sont soufflés par Cyrano: M'accuser,
[– justes dieux! –
de n'aimer plus ... quand ... j'aime plus!

Roxane, voulait refermer sa fenêtre mais s'arrête: Tiens!
[mais c'est mieux!

Christian: L'amour grandit bercé dans mon âme inquiète...
Que ce ... cruel marmot prit pour ... barcelonnette[1]!

Roxane s'avance sur le balcon: C'est mieux! – Mais,
[puisqu'il est cruel, vous fûtes sot
de ne pas, cet amour, l'étouffer au berceau!

Christian: Aussi l'ai-je tenté, mais ... tentative nulle :
Ce ... nouveau-né, madame, est un petit ... Hercule[2].

Roxane: C'est mieux !

Christian: De sorte qu'il ... strangula[3] comme rien ...
les deux serpents ... Orgueil et ... Doute.

Roxane qui s'accoude au balcon: Ah ! c'est très bien.
– Mais pourquoi parlez-vous de façon peu hâtive?
Auriez-vous donc la goutte à l'imaginative[4]?

Cyrano tire Christian sous le balcon et se met à sa place:
Chut! Cela devient trop difficile!...

Roxane: Aujourd'hui ... vos mots sont hésitants[5]. Pourquoi?

Cyrano, parle à voix basse comme Christian: C'est qu'il
[fait nuit,

---

1. **barcelonnette**: *berceau monté sur deux pieds en forme de croissants.*
2. **Hercule**: *héros mythologique connu pour sa force.*
3. **strangula**: *étrangla.*
4. **la goutte à l'imaginative**: *expression inventée qui veut dire un manque d'imagination.*
5. **hésitants**: *incertains.*

13. Compréhension du texte:

a) Pourquoi Roxane répond-elle avec dédain à Christian?

....

....

b) Où se trouve Cyrano?

....

c) A partir de quel moment commence-t-elle à apprécier les mots de Christian?

....

d) De quoi se plaint-elle?

....

....

e) Quand Cyrano remplace-t-il Christian sous le balcon?

....

f) Pourquoi le fait-il?

....

....

14. A propos du mot "goutte". Je fais une phrase pour chaque sens.

a) avoir la goutte: avoir une inflammation des articulations.

....

b) une goutte: très petite quantité de liquide qui prend une forme arrondie.

....

c) suer à grosses gouttes: transpirer abondamment.

....

d) se ressembler comme deux gouttes d'eau: se ressembler trait pour trait.

....

e) goutte à goutte: une goutte après l'autre.

....

f) boire la goutte: boire un petit verre d'alcool.

....

dans cette ombre, à tâtons, ils cherchent votre oreille.

Roxane: Les miens n'éprouvent pas difficulté pareille[1].

Cyrano: Ils trouvent tout de suite? Oh! cela va de soi,
puisque c'est dans mon cœur, eux, que je les reçois;
Or, moi, j'ai le cœur grand, vous, l'oreille petite.
D'ailleurs vos mots à vous descendent: ils vont vite.
Les miens montent, madame: il leur faut plus de temps!

Roxane: Mais ils montent bien mieux depuis quelques instants...

Cyrano: De cette gymnastique, ils ont pris l'habitude!

Roxane: Je vous parle, en effet, d'une vraie altitude!

Cyrano: Certes, et vous me tueriez si de cette hauteur
vous me laissiez tomber un mot dur sur le cœur!

Roxane, avec un mouvement: Je descends!

Cyrano: Non!

Roxane, lui montre le banc qui se trouve sous le balcon:
Grimpez[2] sur le banc, alors, vite!

Cyrano, recule avec effroi[3]: Non!

Roxane voudrait descendre mais Cyrano lui dit de profiter
de[4] cette occasion, de pouvoir se parler doucement, sans se
voir. A travers ces phrases Cyrano avoue[5] ses vrais
sentiments pour Roxane.

Cyrano continue à parler et dit: Certes, ce sentiment
qui m'envahit, terrible et jaloux, c'est vraiment
de l'amour, il en a toute la fureur triste!
De l'amour, – et pourtant il n'est pas égoïste!
Ah! que pour ton bonheur je donnerais le mien,
quand même tu devrais n'en savoir jamais rien,

---

1. n'éprouvent pas difficulté pareille: *n'éprouvent pas autant
de difficulté.*

2. Grimpez: *montez, escaladez.*

3. avec effroi: *avec frayeur, terreur.*

4. profiter de: *tirer avantage de.*

5. avoue: *fait des aveux.*

15. Compréhension du texte:

a) Peux-tu expliquer la phrase: "dans cette ombre, à tâtons, ils cherchent votre oreille!".

....

....

b) Que veut dire Cyrano en disant: "j'ai le cœur grand, vous, l'oreille petite".

....

c) Pourquoi Roxane voudrait descendre?

....

....

d) Et pourquoi Cyrano ne veut-il pas?

....

....

e) Pourquoi Cyrano dit-il ces mots: "pour ton bonheur je donnerai le mien, quand même tu devrais n'en savoir jamais rien".

....

....

16. Je rércris et je complète les phrases suivantes par les pronoms personnels *(forme d'insistance)*.

ex.: *moi, j'ai le cœur grand, vous, l'oreille petite.*

a) Les mots, ... , descendent: ils vont vite.

....

b) ... , je vis en Italie, et... , tu es resté en France.

....

c) ... , il travaille mieux que ... , qui sortez continuellement.

....

d) Les petites filles, ... , préfèrent porter des robes.

....

e) ... , nous voyageons souvent en train.

....

S'il se pouvait, parfois, que, de loin, j'entendisse
Rire un peu le bonheur né de mon sacrifice[1]!
– Chaque regard de toi suscite une vertu
Nouvelle, une vaillance en moi! Commences-tu
A comprendre, à présent? Voyons, te rends-tu compte?
Sens-tu mon âme, un peu, dans cette ombre, qui
[monte?...
Oh! mais vraiment, ce soir, c'est trop beau, c'est trop
[doux!
Je vous dis tout cela, vous m'écoutez, moi, vous!
C'est trop! Dans mon espoir même le moins modeste[2],
Je n'ai jamais espéré tant! Il ne me reste
qu'à mourir maintenant! C'est à cause des mots
que je dis qu'elle tremble entre les bleus rameaux!
Car vous tremblez, comme une feuille entre les feuilles!
Car tu trembles! car j'ai senti, que tu le veuilles
ou non, le tremblement adoré de ta main
descendre tout le long des branches du jasmin!
(Il baise[3] l'extrémité d'une branche pendante.)
Roxane: Oui, je tremble, et je pleure, et je t'aime, et suis
[tienne!
Et tu m'as enivrée[4]!
Cyrano: Alors, que la mort vienne!
Cette ivresse, c'est moi, moi, qui l'ai su causer[5]!
Je ne demande plus qu'une chose ...
Christian, sous le balcon: Un baiser!
Roxane, se rejette en arrière: Hein?
Cyrano: Oh!

---

1. mon sacrifice*: mon dévouement, renoncement.*
2. modeste*: discret, humble.*
3. Il baise*: il embrasse, donne un baiser.*
4. enivrée*: excitée, troublée.*
5. causer*: provoquer, susciter.*

17. Compréhension du texte:

a) Selon toi, quel est, le passage le plus poétique?

....

....

b) Est-ce que Roxane comprend la vraie signification des mots de Cyrano?

....

c) Pourquoi vers la fin Cyrano dit-il: "Alors que la mort vienne"?

....

....

d) Comment Cyrano reprend-il contact avec la réalité?

....

....

e) Pourquoi Christian intervient-il?

....

....

f) Pourquoi Roxane a-t-elle cette réaction?

....

....

18. Je remplace les compléments des phrases suivantes par des pronoms compléments et je fais l'accord si nécessaire:

a) J'ai lu la lettre ce matin:

....

b) J'ai écrit tous les événements:

....

c) Nous avons montré les images aux enfants:

....

d) Il a aperçu son professeur hier:

....

e) Avez-vous regardé "Cyrano de Bergerac" à la télévision?

....

....

Roxane: Vous demandez?
Cyrano: Oui ... je ... *(A Christian, tout bas.)* Tu vas trop vite!
Christian: Puisqu'elle est si troublée[1], il faut que j'en profite!

Christian profite de l'occasion et va rejoindre[2] Roxane sur le balcon. Plus tard, dans la nuit, grâce à la complicité[3] d'un capucin et de Cyrano, Roxane épouse Christian. Au cours de cette nuit on prévient Christian qu'il doit partir à la guerre.

LES CADETS AU SIÈGE D'ARRAS

Cet acte se déroule au siège d'Arras. Chaque nuit, Cyrano traverse les lignes ennemies pour faire parvenir une lettre d'amour à Roxane.
Les cadets ont faim mais rien à manger.

L'ARRIVÉE DE ROXANE AU SIÈGE D'ARRAS

Elle a réussi à franchir[4] les lignes espagnoles grâce au mot de passe "Je vais voir mon amant" et son arrivée crée la surprise générale.

Roxane qui court vers Christian: Et maintenant, Christian!...
Christian qui lui prend ses mains: Et maintenant, dis-moi
     Pourquoi, par ces chemins effroyables, pourquoi
     A travers tous ces rangs de soudards et de reîtres[5],
     Tu m'as rejoint ici?
Roxane: C'est à cause des lettres!
Christian: Tu dis?...
Roxane: Je lisais, je relisais, je défaillais,

---

1. troublée: *bouleversée, dérangée.*
2. rejoindre: *retrouver.*
3. à la complicité: *à l'accord, à la connivence.*
4. à franchir: *à passer au-delà.*
5. soudards, reîtres: *soldats brutaux.*

19. Compréhension du texte:

a) Que se passe-t-il au cours de la nuit?

....

b) Que fait Cyrano chaque nuit au siège d'Arras?

....

c) Comment Roxane réussit-elle à franchir les lignes espagnoles?

....

....

d) Pour quelle raison s'est-elle rendue au siège d'Arras?

....

e) Quelle est l'importance des lettres envoyées du siège d'Arras pour Roxane?

....

....

f) Quelle est la réaction de Christian?

....

20. Je mets les phrases suivantes au discours indirect en utilisant ce qui est entre parenthèses:

a) Ira-t-elle voir Cyrano de Bergerac au cinéma (je ne sais pas):

....

....

b) "Va voir cette pièce de théâtre" *(elle me dit)*:

....

c) "Où se déroule cet acte?" *(il me demande)*:

....

d) "C'est à cause des lettres" *(elle m'annonce)*:

....

e) "Pourquoi m'as-tu rejoint ici?" *(il veut savoir)*:

....

f) "Nous n'avons pas encore lu ce livre" *(ils me disent)*:

....

....

23

J'étais à toi. Chacun de ces petits feuillets
Etait comme un pétale envolé de ton âme.
On sent à chaque mot de ces lettres de flamme
L'amour puissant, sincère ...

Christian: Ah! sincère et puissant?
Cela se sent, Roxane?...

Roxane: Oh! si cela se sent!...

Christian, avec épouvante: Ah! Roxane!

Roxane: Et plus tard, mon ami, moins frivole[1],
   – Oiseau qui saute avant tout à fait qu'il s'envole, –
Ta beauté m'arrêtant, ton âme m'entraînant,
Je t'aimais pour les deux ensemble!...

Christian: Et maintenant?

Roxane: Eh bien! toi-même enfin l'emporte sur toi-même,
   Et ce n'est plus que pour ton âme que je t'aime!...

Christian la quitte[2] un instant et se rend[3] vers la tente de Cyrano. Christian est blême et annonce à celui-ci que Roxane ne l'aime plus puisqu'elle n'aime que l'âme de Christian et cette âme n'est en réalité que celle de Cyrano. Il accuse[4] Cyrano d'aimer Roxane et veut qu'il aille le lui avouer. Christian se dirige vers Roxane pour lui dire d'aller voir Cyrano car il a une chose importante à lui communiquer. Entretemps la bataille continue. Ils entendent des détonations[5], puis des cadets portent quelque chose qu'ils ne veulent pas faire voir à Roxane mais elle aperçoit Christian couché dans son manteau, elle se jette sur lui, l'appelle. Christian appelle Roxane d'une voix mourante

---

1. **frivole**: *insignifiant, superficiel.*
2. **la quitte**: *la laisse.*
3. **se rend**: *se dirige.*
4. **Il accuse**: *il incrimine, il s'en prend à.*
5. **détonations**: *explosions, déflagrations.*

21. Compréhension du texte:

a) Que pense Christian quand Roxane compare les lettres à "un pétale envolé de l'âme"?

....

b) De quoi s'aperçoit-il?

....

....

c) Pour quelle raison Christian se rend-il vers la tente de Cyrano?

....

d) Pourquoi Christian dit-il que Roxane ne l'aime plus?

....

....

e) Que demande-t-il à Cyrano?

....

f) Que s'est-il passé? Que portent les Cadets?

....

....

22. Je mets la phrase suivante aux temps indiqués ci-dessous:
"Christian la quitte et se rend vers la tente de Cyrano"

a) passé composé:

....

b) plus-que-parfait:

....

c) futur antérieur:

....

d) conditionnel présent:

....

e) subjonctif présent:

....

f) subjonctif imparfait:

....

....

et Cyrano s'approche de lui et dit : "C'est toi qu'elle aime encore", puis Christian ferme ses yeux.

Roxane trouve une lettre sur Christian, elle est adressée à elle.

ROXANE CHEZ LES DAMES DE LA CROIX

Quinze ans après le siège d'Arras et la mort de Christian, Roxane s'est retirée chez les Dames de la Croix. Chaque semaine Cyrano vient lui rendre visite depuis quinze ans et lui raconte tout ce qui se passe à l'extérieur du couvent. Les amis d'antan[1] aussi viennent la voir. Le Bret et le duc, ancien Comte de Guiche, se rencontrent chez Roxane. Le duc affirme que beaucoup de personnes ont en haine Cyrano et qu'il a entendu chez la Reine quelqu'un qui disait qu'il pourrait mourir d'un accident.

Il est vraiment arrivé malheur[2] à Cyrano et Roxane ne se doute de rien. Dans la rue, il a reçu un morceau de bois sur la tête. Il est gravement blessé mais reste fidèle au rendez-vous hebdomadaire[3] qu'il a avec Roxane.

Comme d'habitude il lui raconte ce qui s'est passé au cours de la semaine puis, tout à coup, il ferme les yeux, sa tête tombe et il ne parle plus.

Roxane court vers lui et l'appelle, il rouvre les yeux et dit d'une voix vague[4] que ce n'est rien, que c'est sa blessure d'Arras. Elle aussi a gardé une blessure d'Arras et mettant sa main sur sa poitrine dit : "Elle est là, sous la lettre au papier jaunissant où l'on peut voir encor des larmes et du sang!". C'est la dernière lettre de Christian. Le crépuscule[5]

1. **d'antan** : *d'autrefois.*
2. **Il est vraiment arrivé malheur à Cyrano** : *Cyrano a vraiment été victime d'un accident.*
3. **hebdomadaire** : *qui se renouvelle chaque semaine.*
4. **vague** : *confuse, imprécise, incertaine.*
5. **Le crépuscule** : *la nuit tombante.*

23. Compréhension du texte:

a) Pourquoi Cyrano s'approche de Christian et dit: "C'est toi qu'elle aime encore"?

....

....

b) Où se trouve Roxane quinze ans après?

....

c) Que fait-elle dans cet endroit?

....

d) Qu'est-ce que le duc, ancien Comte de Guiche, a entendu dire chez la Reine?

....

....

e) Qu'est-ce qui est arrivé à Cyrano?

....

f) Où se rend-il?

....

24. Je remplace les expressions en caractère gras par les adverbes:

a) Cyrano se rend chez Roxane *avec difficulté* et *avec lenteur*.

....

....

b) Elle le salue *de manière polie*.

....

c) Il répond *d'une voix vague*.

....

d) Roxane l'écoute *avec beaucoup d'attention*.

....

e) Le Bret et le Comte de Guiche pensent *de façon claire*.

....

....

f) Quelquefois Cyrano répondait *d'une façon très sèche*.

....

arrive et Cyrano lui rappelle qu'un jour il aurait pu la lire. Il lui demande la permission[1] de la lire aujourd'hui même. Il commence la lecture, elle revient à son métier et range ses laines.

Il ne la lit plus maintenant car il la connaît par cœur. Elle l'écoute et s'aperçoit qu'il la lit trop bien. Elle s'approche de lui sans qu'il s'en aperçoive[2], l'ombre augmente et désormais Roxane comprend que c'est Cyrano qui a toujours écrit toutes les lettres. Au début il ne veut pas qu'elle sache, puis ... il admet.

Le Bret et Ragueneau arrivent en courant, ils étaient sûrs[3] de le trouver auprès de Roxane qui ne comprend pas pourquoi ils sont si préoccupés pour Cyrano. Ils lui parlent de la blessure à la tête et elle comprend, à ce moment là, l'évanouissement de tout à l'heure[4]. Cyrano se découvre et ses amis aperçoivent sa tête entourée de linges. Il leur dit qu'il sent la mort venir. Roxane veut appeler des religieuses qui se rendent à l'office[5] mais Cyrano s'y oppose.

Cyrano secoué d'un grand frisson, se lève et va s'adosser à l'arbre car il ne veut pas mourir dans un fauteuil et dit:
Ne me soutenez pas! – Personne!

    Rien que l'arbre!

    Elle vient. Je me sens déjà botté de marbre,

    – Ganté de plomb! *(il devient raide).*

    Oh! mais!... puisqu'elle est en chemin,

    Je l'attendrai debout, *(il tire l'épée)*

    et l'épée à la main!

1. **la permission**: *l'autorisation.*
2. **sans qu'il s'en aperçoive**: *sans qu'il s'en rende compte.*
3. **sûrs**: *certains.*
4. **l'évanouissement de tout à l'heure**: *la perte de connaissance d'avant.*
5. **à l'office**: *à la cérémonie du culte.*

25. Compréhension du texte:

a) Que demande Cyrano à Roxane?

....

b) Que fait-il ensuite?

....

....

c) Que comprend-elle enfin?

....

d) Qui est-ce qui paraît préoccupé pour Cyrano?

....

e) Que fait Cyrano?

....

f) Veut-il que quelqu'un l'aide? Pourquoi?

....

....

26. Je mets les phrases suivantes à la forme passive:

a) Cyrano lui demande la permission de lire la lettre:

....

b) Cyrano ne lit pas la lettre car il la connaît par cœur:

....

c) Cyrano a toujours écrit toutes les lettres:

....

d) Le Bret et Ragueneau ont aperçu Cyrano auprès de Roxane:

....

....

e) Tout le monde désire la paix:

....

f) Les enfants regardent peu la télévision:

....

Roxane et Le Bret l'appellent mais il continue: Je crois
[qu'elle regarde ...

Qu'elle ose regarder mon nez, cette Camarde[1]!
Que dites-vous?... C'est inutile?... Je le sais!
Mais on ne se bat pas dans l'espoir du succès!
Non! non, c'est bien plus beau lorsque c'est inutile!
– Qu'est-ce que c'est que tous ceux-là! – Vous êtes
[mille?
Ah! je vous reconnais, tous mes vieux ennemis!
Le Mensonge?
Tiens, tiens! – Ha! ha! les Compromis,
Les préjugés[2], les Lâchetés!...
Que je pactise[3]?
Jamais, jamais! – Ah! te voilà, toi, la Sottise!
– Je sais bien qu'à la fin vous me mettrez à bas;
N'importe: je me bats! je me bats! je me bats!
Oui, vous m'arrachez tout, le laurier et la rose!
Arrachez! Il y a malgré vous quelque chose
Que j'emporte, et ce soir, quand j'entrerai chez Dieu,
Mon salut balaiera largement le seuil bleu,
Quelque chose que sans un pli, sans une tache,
J'emporte malgré vous,
                    et c'est ...

*(l'épée s'échappe de ses mains, il chancelle[4] et tombe dans
les bras de Le Bret et de Ragueneau. Roxane se penche sur
lui et lui donne un baiser sur le front).*
                    C'est? ...
                Mon panache[5].

1. **Camarde**: *ici, la Mort; mais normalement pers. qui a le nez
   plat et écrasé.*
2. **Les préjugés**: *les opinions préconçues souvent imposées par
   le milieu, l'époque.*
3. **Que je pactise**: *que je fasse un compromis.*
4. **il chancelle**: *il vacille, il penche de côté et d'autre comme s'il
   allait tomber.*
5. **Mon panache**: *faisceau de plumes serrées à la base et flottantes
   en haut, qui sert à orner une coiffure.*

27. Compréhension du texte:

a) Quel autre mot Cyrano dit-il pour nommer la mort?

....

....

b) Connaissais-tu déjà cette histoire?

....

....

c) Comment l'as-tu trouvée?

....

....

....

d) L'avais-tu déjà vue au cinéma, au théâtre ou à la télévision?

....

....

e) Quelle fin aurais-tu donné à cette histoire?

....

....

....

....

f) Quelle est la partie que tu as préférée le plus? Pourquoi?

....

....

....

LE SAVAIS-TU?

Avoir du panache: avoir fière allure.

Amour du panache: amour pour la gloire militaire.

© 2001 *La Spiga languages* • IMPRIMÉ EN ITALIE PAR **Techno Media Reference** • Milan

DISTRIBUE PAR **Medialibri** S.R.L. VIA IDRO 38, 20132 MILAN • ITALIE • TÉL. 0227207255 • FAX 022567179